빛나는 길을 걷는 그대

빛나는 길을 걷는 그대

발 행 | 2024년 5월 16일
저 자 | 류리
펴낸이 | 한건희
펴낸곳 | 주식회사 부크크
출판사등록 | 2014.07.15.(제2014-16호)
주 소 | 서울특별시 금천구 가산디지털1로 119 SK트윈타워 A동 305호
전 화 | 1670-8316
이메일 | info@bookk.co.kr

ISBN | 979-11-410-8523-0

www.bookk.co.kr

빛나는 길을 걷는 그대

류리 지음

시인의 말

공감을
위로를
응원을
필요로 하는 모두에게 읽히기를 바랍니다.

소중한 _ _ _ _ _ _ _ 에게

이 책을 드립니다.

1장. 빛나는 길을 걷는 그대

2장. 별빛

3장. 별 따러 가자

4장. 모래알보다 많은 것들

빛나는 길을 걷는 그대

걸어가야 할 길이 어둡다고
걱정하지 마세요

그대가 걸어온 길이 빛나기에 생긴
그림자일 뿐이니

걷다가 지칠 때면
어둡다고 생각한 그 길을 돌아보세요

분명 그 길은 밝게 빛나고 있을 테니

지금 가는 그 길을 걱정하지 마세요
그대는 누구보다 빛날 길을 걷고 있으니

그럴 필요 없어

희망이 사라졌다고, 아니 보이지 않는다고
절망하지 말자

달이 구름에 가려져 있다고 해서
사라진 게 아니듯

밤하늘 빛나던 별들이
아침에 보이지 않는다고 없어진 게 아니듯

잠시 가려져 있을 뿐,
잠시 안 보이는 것뿐이니까

구름은 언젠간 지나가고
밤은 다시 찾아오는 거니까

절망하지 말자 그럴 필요 없으니까

꽃은 핀다

조그마하게 갈라진
도심 속 아스팔트 사이에서도

가파른 절벽,
손길 닿지 않는 곳에서도

뿌리까지 뽑혀버린 그 자리에서도 또다시
꽃은 핀다

비

평평한 줄 알았던 도로에도
비가 내리면 곳곳에 물웅덩이가 생긴다

어디가 얼마나 다쳤는지
비가 오지 않았다면 몰랐겠지

사람도 비슷하다
때론 울어야 상처가 어딨는지 알 수 있다

밝은 밤, 어두운 아침

행복한 상상을 하며 잠을 청하고

현실로 돌아와 어두운 방을 나선다

때론

고여있는 물웅덩이를
단단하게 만드는 건

따사로운 봄이 아닌
차디찬 겨울이다

나비효과

너를 만나기 전 일어났던

그 어떤 힘든 일도 되돌리고 싶지 않다

우린

서로 닮았구나

서로 담았구나

후회

지우고 다시 쓰려니
고칠 부분이 너무 많아 홧김에 찢어 버렸다

새로 쓰려는데, 어찌나 꾹꾹 눌러썼었는지
깊게 파인 자국이 선명하게 남아있다

이러지도 저러지도 못한 채
이미 찢겨 구겨진 종이를 다시 펴본다

후회 2

연필로 쓰면 지워질까 봐
펜으로 썼었다
그러면 영원할 거 같아서

지워지지 않아 찢어낼 수밖에 없었다

그래서 이번엔 연필로 써본다
찢어내기 싫어서

달

타오르지 않는다고 실망하지마
뜨거운 태양보다
은은한 달이 훨씬 가까이 있으니까

눈부시게 빛나지 않는다고 실망하지마
쳐다볼 수 없는 태양보다
항상 볼 수 있는 달이 널 비추잖아

말

한 번만, 그대가 한번 읽어주시길 바랍니다

이 시는 제가 쓴 게 아닙니다
제가 당신 앞에선 차마 얘기하지 못한 말들이
입 밖으로 나오지도 못한 채 사라지는 게 아쉬워
아무도 들을 수 없는
제 방 책상 앞에서 읊어보았습니다

그렇게
새어 나온 말들에 담긴 무게가 과했던 걸까요?
펼쳐진 하얀 종이 위에 뚝뚝 떨어졌습니다
그대로 새겨졌을 뿐입니다

새겨진 김에 당신께 드리려 합니다
아니, 드려야만 한다고 스스로 핑계를 대봅니다
제가 쓰지 않은 이 시를 읽어주세요

그대를 사랑합니다
저는 그대를 많이 사랑합니다

비

한바탕 비를 쏟아냈는데도
하늘이 어둡다.

덜 쏟아내서일까
밤이 될 때까지 쏟아내서일까

아무렴 어떨까

다 쏟아내면 맑아질 텐데
밤이 지나면 밝아질 텐데

가라앉지 않는 것들

물 위에 떠있는 나뭇잎

산꼭대기에 걸쳐있는 구름

밤하늘에 수놓아진 수많은 별들

너로 인해 들뜬 내 마음

어떤 걸로 붙일까요

끈으로 묶으면
조금씩 풀릴 것 같아요

스테이플러는
너무 따가울 것 같아요

순간접착제는
떨어질 때 너무 힘들 것 같아요

당신과 나,
어떤 걸로 붙이는 게 좋을까요

구름

뜨거운 햇빛을 가려주는 것도

세찬 비를 내려 전부 젖게 하는 것도

느릿느릿 함박눈을 내리는 것도

전부 구름이었다

이상한 우산

내가 만약

비에 젖어버리는 우산일지라도

네게 쏟아지는 그 비를 기꺼이 맞을래

메아리

서로의 마음을 주고받는 줄 알았는데

네게 보낸 내 마음이

메아리가 되어 되돌아온 거더라

우산

비 오는 날에만 찾지 말고

가끔은 맑은 날에도 함께하고 싶어

낙엽이 들어오네요

매일 출근을 하면
빗자루를 들고 가게 앞을 쓸어요
아무것도 없는 날도 쓸고
평소보다 낙엽이 많은 날은
더 열심히 쓸지요

바람이라도 부는 날이면
아무리 쓸어도 낙엽이 다시 생깁니다
가게 바깥에 쌓이는 낙엽은
밖이니까 그러려니 하지요

근데 이 낙엽들이 집요하게
가게 문 틈으로 들어와요

문을 열고 쓸어내고 다시 또 쓸어내고
여간 귀찮은 일이 아닙니다

그 좁은 틈으로 어찌 그리 잘 들어오는지
문을 닫고 있어도
들어올 건 다 들어오나 봅니다

바람 부는 날의 낙엽처럼

미로

미로를 빠져나오는 법은 간단하다

한쪽 벽에 손을 대고 따라가다 보면,
그러다 보면
언젠가는 분명 빠져나올 수 있다

너도 그런 줄 알았다
분명 입구가 있어 들어갔을 텐데
왜 네 안에선 나올 수 없는 걸까

오늘도 한쪽 벽에 손을

아니, 너의 한켠에 손을 대고
하염없이 걷는다

함께

지금 네 곁에 내가 있음을 감사한다

그 어느 때보다 힘들 시기에

누구보다도 힘들 네 곁에서

내가 함께 할 수 있음을 감사한다

어른

작아지는 그늘 속 삐져나온 그림자가
어른이 되었음을 알려줬다

아니, 커져버린 그림자를 보며
어른이 되었다고 착각했었다

크기는 상관 없었다
그림자가 그림자가 아닌 그늘이 될 때

비로소 우리는 어른이 된다

욕심

전부이길 바라진 않지만

가장 큰 부분이고 싶긴 해

찻잔에 담긴 꽃잎

향긋함이 먼저 우러났다
이내 단맛, 쓴맛도 어우러져
진하게 우러났다

꽃잎을 건져냈지만
찻잔에는 꽃잎의 모든 것이 담겨있다

네가 떠났지만
여전히 네 모든 것이 남아있는 것처럼

달이 밝은 밤

늦은 밤,
분명 불을 끄고 누웠는데
이상하게 방 안이 밝을 때면

'창밖에 달이 유난히 밝구나' 하고
자연스레 달을 좋아하는
네 생각이 나

먼지

깊은 한숨에 먼지가 이리저리 요동친다

이러지도 저러지도 못하는 나처럼

햇빛을 받은들 그늘조차 되어줄 수 없고

비라도 내리는 날엔 한없이 가라앉는

아무 쓸모 없는 먼지다

비

피하지 말자

숨지 말자

비가 닿지 않는 곳은

햇빛도 닿지 않으니

별빛

당신이 내게 주신 사랑은
저 하늘 찬란히 빛나는 별빛과도 같습니다

내가 힘들고 지쳐 어두울 때면
더욱더 밝게 나를 비춰주었으니까요

내가 그대의 존재를 잠시 잊는 밝은 순간에도
말없이 조용히 나를 비춰주었으니까요

이미 당신은 사라졌는데도
그 빛은 아직도 내게 닿고 여전히 오고 있으니까요

당신 없이 살아갈 내가 그리도 걱정되었나요

내게 닿는 주인 없는 빛이 사그라질 때쯤
그때가 오면 나는 당신을 잊을 수 있을까요

오뚝이

거친 비바람에도 휘몰아치던 눈보라에도

쓰러진 채 머물지 않았어요

세게 넘어질수록 빠르게 일어났었어요

지금은 그러질 못하겠어요

속이 비어 버린 오뚝이는

다시 일어날 수 없어요

새벽

아무리 견뎌봐도 점점 어두워져만 가는데

어두워질수록 가까워진다는 걸
믿을 수가 없네요

저에게도 새벽이 다가오고 있긴 한 걸까요?

모래성

짊어진 것들이 너무 무거워 힘들 때면
눈가에 차오른 눈물의 무게라도 줄여보려
펑펑 울었다

뚝뚝 떨어지는 눈물을
손등으로 훔치며 생각했다

퍼석퍼석하게 매말라 부서지는 모래성을
다시 세우는건 짜디짠 바닷물이니까

그러니까 이런 눈물을 흘리는 나도
나에겐 필요하다고

잘 어울려요

당신과 나의 다름을 걱정하지 말아요

같지 않은 두 음이 아름다운 화음이 되듯

서로 다른 우린 이미 잘 어울려요

낙엽

비에 젖은 낙엽은 바스러지지 않는다

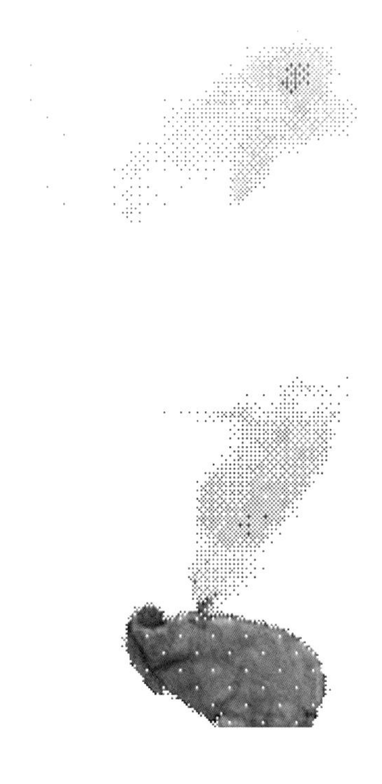

99보다 큰 숫자

안 맞는 99 가지보다
잘 맞는 1 가지로 인해
너를 만났고

잘 맞는 99 가지보다
안 맞는 1 가지로 인해
너를 떠나보냈다

피아노

끝없이 펼쳐진 피아노 위를 걷고 있어요

희고 고운 길과 어둡고 높은 길을
때론 빠르게 때론 느리게

가끔은 뒤로 도망쳐도 괜찮아요

당신의 뒷걸음질 마저
듣기 좋은 멜로디가 될 테니까

꿈

꿀벌은 꽃 향기에 이끌려 잘만 찾아가는데

나는 왜이리 헤매기만 하는 걸까

내가 꾸는 꿈에는 향기가 없는 걸까

낙엽

바람 불어 떨어졌건만

바람 없인 날지 못하는구나

별

내 곁에서 아득히 멀어져 버린 그대를
아직도 잊지 못하는 것은

어쩌면 당연한 것 일지도 몰라요

이미 사라져버린 저 별이
지금도 선명하게 보이는 것처럼요

책장

손가락 하나 들어갈 틈은 있어야 했다

책장 속 꽂혀있는
오래된 책을 꺼낼 수 없으니까

당신이 내게 그렇다

주황빛

저 먼 하늘의 달이
분명 더 크고 더 밝게 빛이 나는데

지금 내가 서있는 이곳에선
초라한 가로등 주황빛만이 나를 비춥니다

그래요
지금 나에게 필요한 것은 그런거에요

꿈, 어쩌면 그저 꿈

오랜 고민 끝에
가장 빛나는 별을 찾아 쫓았다

아무리 쫓아도 가까워지지 않아 힘들었는데
지금은 오히려 가까워지는 게 두렵다

내 눈엔 여전히 빛나는 저 별이
어쩌면 이미 죽어버린 별이 아닐까 싶어서

태양

내가 보는 모든 것들이

네가 있기에 보이는 건데

정작 너는 바라볼 수도 없구나

색깔

감정이란 게 눈에 보인다면
색깔이 있다면
그 색을 내가 정하고 싶어요

슬픔은 따스한 옅은 노란색
우울함은 포근한 아이보리색으로
그렇게 정하고 싶어요

슬픔과 우울함이 티가 안 나서
주변 사람들이 모르게 하고 싶어요

슬픔이 옮지 않게,
우울함이 묻지 않게

따스하고 포근한
그런 색깔로 정하고 싶어요

얕지 않아

강물이 잔잔히 흐른다고 해서
깊이가 얕은 게 아니듯

나의 조용하고 소심한 표현들도
결코 얕은 감정은 아니었어

영원

영원할 것 같은 이 슬픔도
언젠간 사라지겠지

영원할 것 같던 우리가
남이 되어버린 걸 보면

먼지

보잘것없는 나일지라도
타오르는 저 태양을 품겠어요

노을이 되어
세상을 아름답게 물들일 테니

그러니 나는 울지 않아요
빗물과 뒤엉킨 먼지는
떠오를 수 없으니까요

얼룩

'너'라는 까만 글자 위로 뚝뚝 비가 내렸다

옅어지고 번진 얼룩은 더 이상 네가 아닌데

크기는 더욱 커져만 간다

짝사랑이란

달빛을 등에 지고 호수를 내려다본다

일렁이는 그 달을 가슴에 품어본다

어긋난 나침반

나침반이 있다

티도 안 날 만큼 살짝,
아주 살짝 어긋난 나침반이 있다

똑바로 따라가도 조금씩 어긋나는
그 나침반은
어느새 나를 아주 먼 곳까지 오게 했다

네가 보이지 않는다
끝에 다다라서야 옆에 있어야 할
네가 없음이 보인다

서로 같은 방향을 가고 있단 생각에
앞만 보고 걸었는데

너의 나침반은 어디로 향한 걸까

어긋난 나침반은 누구의 것이었나

모순

그댈 잊으려고
노력하지 않을 거에요

노력했던 일들은
자꾸 생각이 나더라구요

스치듯 인연

스치듯 지나가서
괜찮을 줄 알았는데

많이 아파요

종이에 스치듯 베인 상처가
쓰라린 것처럼

달

초승달은 점점 차오르고
보름달은 점점 얇아진다

달은 변한 적이 없고
내가 그렇게 봤을 뿐인데

그런 줄도 모르고 미련하게
네가 변했다고 오해를 했다

달 2

무수한 상처를 가진 달도
멀어지면 멀어질수록 상처는 보이지 않고
환희 빛나는 달만 보인다

너와 함께여서 좋았던 일들만
행복했던 그 시간들만 자꾸 떠오른다

그렇게 그만큼 멀어졌나 보다

괜찮은 사람

나는 참 괜찮은 사람이다

아파도 괜찮은 사람이다

힘내

내일의 해 같은 건 없다
오늘 본 해는 어제와 같고 내일도 그 해를 보겠지

우리는 어두운 새벽을 지나 떠오르는 해를 보며
희망을 꿈꾼다

사실 해는 언제나 같은 자리에 있다
등을 돌린 자에게도, 엎드려 있는 자에게도
그 사실은 변하지 않는다

다시 마주할 용기가 있다면
고개 숙인 머리를 다시 일으킨다면
해는 언제나 보인다

그런 얘기를 하고 싶었다
그러니까 힘내자고

꿈

포기한 게 아니고 잠시 묻어둔 거야

넘어가야 할 산이 높아서
건너가야 할 길이 울퉁불퉁해서
가지고 갈 수 없어서 남몰래 묻어두었어

나만 잊지 않는다면
다시 찾아 데려올 수 있으니까

포기

포기하는 것은 쉽다

쉬운 것은 재미가 없다

그래서 포기를 할 필요가 없다

매일 떠오르는 태양처럼

매일 네가 떠오른다

꿈 굴리기

사람들은 저마다의 꿈을 굴리며 나아간다

작은 꿈은
길가에 돌부리 같은 조그마한 충격에도
방향이 어긋나거나 부서질 수 있다

큰 꿈은 굴리면 힘이 너무 많이 들어
후회를 낳기도 한다

꿈을 너무 급히 굴리다 보면
어느새 내 손을 떠나 꿈을 쫓아다니게 된다
그렇게 점점 멀어져 잃어버리게 된다

좋아서 꾸는 꿈인데
따질게 너무 많아 힘이 든다

자려고 누웠는데

잠이 오지 않는다
너 때문에

내게 오지 않는다
너 처럼

한여름의 비

맞아도 괜찮아요

잘 마르니까

별 따러 가자

별을 따러 갔는데
생각보다 너무 멀리 있네

내 발은 이미 딛던 땅을 떠났는데
별은 아직 내 손에 닿지 않고

그렇게 돌아가지도 못하고
여전히 별만 쫓고 있네

마음

마음을 담는다

마음을 담아 선물을 하고
마음을 담아 요리를 하고
마음을 담아 노래를 부르고
마음을 담아 편지를 쓴다

어디든 담기는게 마음이라서
어딜가도 네가 담겨있다

그 별이

떨어지진 않을까
빛을 잃진 않을까

뭐하나 해줄 수 없는
닿지도 않는 별을 걱정한다

밤이 되면 자꾸 떠올라서

피아노

높은음과 낮은음이 있지만
혼자서는 곡이 될 수 없다

서로 어울려 멋진 곡이 되기도 하지만
불협화음을 만들기도 한다

음의 높낮이가 중요하지만
오직 높이만을 따지기도 한다

그리고 위에 있는 것들은
항상 검은색이다

손 잡아줘

손을 잡아주려면

쥐고 있던걸 놓아야지

그게 뭐가 됐건

Café

따뜻한 커피 한잔을 곁에 두고 책을 읽는다
책의 장르는 상관없다
소설이나 시집 가끔은 만화책

그렇게 홀로 앉아
커피를 홀짝이며 책을 읽고
가끔은 창밖을 바라본다

내가 있는 이 카페는 유독 사람이 없다
안에도, 밖에도

이렇게 조용한 곳에서
시간을 보내는게 편해졌다

아무도 없는 공간에서 읽고 싶은 책을 읽고
좋아하는 구절을 메모하고

내 마음대로 글도 쓰는

이 순간이 편하지 않을 이유가 없으니
어쩌면 당연한 거겠지

나는 언제부턴 이런 시간이 편해진 걸까
커피의 쓴맛을 좋아하지 않던
카페는 프렌차이즈 몇 곳만 알던
그런 시절의 내가 있었는데

내게 커피를 좋아하는 네가 나타났다
진한 원두의 향이 옷에 베듯
너의 취향도 내게 스며들었나보다

나에게 이 소중한 시간을 선물해준 네게
오늘도 감사의 마음을 품는다

둥글게

그저 둥글게 살아보려 한 건데

이리저리 굴러다니기만 하는구나

사랑하는 이유

시간이 지나면 지날수록

네 생각이

많아지고
넓어지고
깊어져서

너만 보이게 되니까
너만 사랑하게 되나봐

걷다, 걷다

멈추지 않고 계속 걷는다
반대로 걸어간다
걷고 또 걷다보면
점점 멀어져 결국 안 보일 테니까

멈추지 않고 계속 걷는다
기억을 걷어낸다
걷고 또 걷어내면
결국 떠오를게 없어질 테니까

밤

그땐 그대 생각에
밤이 깊어갔는데

이젠 밤이 깊어지니
그대 생각이 나네

너와

영화를 봤다
공원을 걸었다
밤하늘을 봤다

너와 함께 보고 싶던 영화를 봤다
너와 손을 잡고 공원을 걸었다
살포시 내 어깨에 기댄 너와 밤하늘을 봤다

너와 함께라서
평범했던 매 순간순간이
평범하지 않았다

이별의 방향

등을 돌린 채 앞으로 걸어가는 것
그것은 용기 혹은 도피

마주 본 채 뒷걸음질 치는 것
그것은 욕심 혹은 미련

통증

이유 없는 통증이 어딨겠어요

그저 이유 모를 통증이겠죠

낙엽

떨어진 낙엽을 쓸어내는 것만큼
부질없는 짓이 있을까요

찬바람 다 지나갈 때까지
계속 쌓일 텐데요

흩날리고 바스러질 때까지
가만히 둘게요

힘들게 쓸어내지 않아도
겨울이 지나면 결국 사라질 테니까요

순간

특별한 순간이 있다

일초가 흘러도 일 년이 지나는 그런 순간

같지만 같지 않은 특별한 순간

파도가 넘실넘실

잔잔한 파도가 모래를 부드럽게 적신다

바닷물을 머금은 백사장을 편지지 삼아
몇 자 적어본다

전하고 싶지만 전해지지 않길 바라는
그런 말들을

파도가 칠 때마다 사라질 그런 말들을

그 파도 멎으면 내 마음 전할 수 있을까

잠 못 들면

가끔씩 네가 보고 싶어
잠 못 드는 밤이 올 때면

가장 안 좋았던 기억을 끄집어낸다
김이 모락모락 나는 커피에 얼음을 타듯이

미지근해진 감정을 추스르며
다시 잠을 청한다

네 생각에 잠 못 들 때면
결국 네 생각에 잠이 든다

낙엽이 들어온다

겨울바람에 흩날리던 낙엽이 들어온다

닫힌 가게 문틈 사이를 비집고 들어온다

이미 언 땅에 떨어진 낙엽이 자꾸 들어온다

가여워 쓸어내지 못한다

차마 쓸어내지 못한다

내게서 떨어진 그대 같아서

별을 바라본다

습관처럼 별을 바라본다
밤만 되면 떠오르는 그 별을

밤하늘 저 멀리서 반짝이는 그 별은
아직 나를 바라보고 있을까

너무 멀리 있어서 너무 눈이 부셔서
알 수가 없다

어디를 바라보고 있는 건지
알 수가 없다

사랑

네가 내게 준 사랑은
유일무이한 사랑이라서

다른 사랑을 찾지 못하는 게
당연한지도 모르겠다

커피

머그컵에서 하얀 김이 올라온다

만져보지 않아도 알 수 있다
담긴 커피가 뜨겁다는 것을

사랑도 그랬으면 어땠을까

그럼 식었다고 오해할 일이 없었을 텐데

말의 방향

글씨는 왼쪽에서 오른쪽으로 읽는다

말도 똑같다
그대로 얘기하면 되는걸
이리저리 돌려 얘기하면
당연히 알아듣지 못한다

그렇게 닿지 못한 불쌍한 말들이
아직도 주위를 뱅글뱅글 맴돈다

이제는

많이 길었겠다

네 머리카락

그런 사람

환한 대낮에
별을 올려다보는 사람은 없겠죠

만일 그런 사람을 본다면
이상하게 생각하지 말아 주세요

안 보이지만 항상 그 자리에 있을
누군가를 생각하는

그런 사람일 수도 있으니까요

네 생각

널 잊겠다는 생각

그마저도 결국 네 생각

별

멀어질수록 희미해지는 것이
당연한데도

이미 떠나간 저 별이
점점 선명하게 보이는 이유는

내 주변이 그만큼
어두워지고 있어서 그런가 봐요

오해

나를 비춰주던 햇살이
약해진 게 아녔음을

어둡고 거대한 구름이
지나가고야 알게 되었습니다

맥주

내가 주고 싶은
진심만이 담길 수 있도록

그대도 조금만 기울여서
받아주면 안 될까요

맥주잔을 기울이듯이

햇살

한 줌 닿지 않아도

그래도 살아진다

퇴고

고민을 거듭하며 써 내려간
수많은 감정들이 모여
굉장히 긴 글이 되어
종이를 빼곡히 채웠는데

고민을 거듭하며
고치고 지우고 다듬다 보니
이렇게 초라한 짧은 글이 되고 말았다

내가 전하고 싶은 말은
고작 그게 전부가 아니었는데

안경

도수가 있는 안경은 나에겐 필요했지만

너에겐 그저 세상을 흐릿하게 만드는

필요 없는 잡동사니였다

인연

너와는 인연이 아니어서
헤어진 건가 싶다가도

이것조차도 인연이라
부를 수 없는 것이라면

앞으로 내 삶에 인연이란 건
존재할 것 같지 않아

조약돌

강가에 널브러져 있는 조약돌을 볼 때면

그저 반짝이는 조그마한 돌이
예쁘다고 생각했다

서로 부딪쳐 쪼개지고 깎여나가는
앞으로도 계속 작아져만 가는 줄도 모르고

풍선

어린아이가 풍선을 불 듯 사랑을 했다

그저 바람 불어넣기 바빴던 그런 사랑

터지고 나서야 잘못을 깨닫는 아픈 사랑

바람

바람 불면 시원한 줄만 알던

그 시절은 지나서

그 바람으로 인해

실려 오는 것들이

날려 가는 것들이

더 크게 느껴진다

종이

접으려 했는데

접으면 접을수록 두꺼워져

결국 더 접지도 못하고

찢어버릴 수도 없게 된

내 마음이 밉다

길

헤매고 넘어지고 느려도 괜찮다

헤맨 만큼 넓은 길이 되고

넘어진 만큼 익숙한 길이 되고

느린 만큼 잘 보이는 길이 되니까

하나 그것은
끝까지 걸어갔을 때임을 잊지 말자

그러니, 멈추지 말자

오롯이

내 마음 안에 오롯이 너를 품겠다

네가 어딜 바라봐도 내가 보일 수 있게

모래알보다 많은 것들

길을 잃은 걸까요

달빛도 비출 생각이 없는
이 길을 그저 걷다보니 그랬나 봅니다

힐끔 곁눈질로 뒤를 보니
수많은 나의 발자국이 느껴집니다

보이지 않는
하지만 분명히 존재하는 그것들이
내 눈에 밟힙니다

지금 걷는 이 길이 출구가 없는 미로라면
입구로 되돌아갈 수밖에 없겠지요

나는 겹쳐지지 않는 발자국 위를
또 다시 걷기 시작합니다

그리고 다른 길을 찾아 나아갑니다

이 세상에 제가 갈 수 있는 길은
모래알보다 많으니까요

울고 있는 너에게

울지 말라고 해야 할까

울어도 괜찮다고 해야 할까

미련

나에게 주어진 이 사랑을
하나도 남김없이 전부 전하리

때론 지치고 지겨울 때도 있겠지만
그래도 전부 받아다오

이 세상 떠나는 날
아직 전하지 못한 사랑이 남아

이곳에 미련 남지 않게

아버지

단단한 풋감도

결국엔 무른 홍시가 되는구나

연월일

흘러가는 줄만 알았는데

돌아올 건 돌아온다

비

아무것도 하지 않아도

이 비는 그친다

책갈피

책 사이에 품어진다면

그 어떤 것도 책갈피가 된다

낡은 이어폰 줄

샛노란 은행잎

안 쓰는 체크카드

빛바랜 사진 한 장

메마른 눈물 자국

발버둥

저도 알아요

지금 제 상황이 잘못되어 있다는 것을

제 삶이 어긋난 방향으로
흘러가고 있다는 것을

그러니 너무 질책하지 말아 주세요

열심히 발버둥 치고 있거든요

하지만 이런 내 발버둥은

가라앉은 이들만 볼 수 있겠죠

노래

내가 듣고 싶은 노래는

항상 다른 노래를 듣고 있을 때

생각이 난다

TV

아무리 큰 TV도
멀리서 보면 잘 안 보인다

그래서 더 자세히 보기 위해
좀더 TV 가까이 앉는다

행복이나 사랑도 마찬가지인 것 같다

중요한 것은 크기가 아니라

얼마나 더 가까이
다가설 수 있는지가 중요하다

후회

왜 그리도 냉정했을까

안아줄 수 있을 때

맘껏 안아줄걸

안아줄까요

그냥 잠깐 안아줄까요

오늘 너무 많은 일들이 있었잖아요

그러니 그냥

안아주게 해줄래요?

상처

상처는 아물거나 덧이 난다

무슨 말이냐면

기다리는게 꼭 답이 아닐수도 있단 얘기다

횡단보도

빨간불이 들어오면
반드시 멈춰야 한다

하지만 파란불이 들어올 때는
반드시 가지 않아도 된다

꿈

나의 꿈은 나의 것인 줄 알았습니다

그래서 보다 크게 꾸었나 봅니다

하지만 알고 보니
제 꿈은 공짜가 아니었습니다

이번 생에서
그 꿈을 사지 못할까 두렵습니다

가끔은

진심이 담긴 거짓으로

위로를 얻는다

지구

지구는 동그랗다

하지만 자세히 들여다보면

뾰족하게 높은 산도 많고

끊임없이 흔들리는 바다도 있다

사람도 똑같다

파편

한번 깨졌던 예쁜 그릇을 다시 붙였다

두 조각이 전부인 줄 알았는데

작은, 아주 작은 파편들이 떨어져 나갔다

결국 작은 틈 들을 남겨놓은 채

그릇은 다시 하나가 되었다

서로를 힘들게 했던 부분들이
떨어져 나간거야

서로를 아프게 했던 부분들이
떨어져 나간거야

똑같지 않다고 불안해하지 마
우린 더 좋아진 거야

추월

지금 가는 길을 잠시 벗어난다고 해서

혹은 기약 없이 멈춰 선다고 해도

제가 가진 꿈을 포기하는 것이 아닙니다

나를 항상 뒤쫓던 불운이
혹시 나를 앞질러 가지는 않을까

그렇게 나를 추월해간다면
나랑 멀어지지 않을까 싶어서
그랬을 뿐입니다

엄살

특별하지 않습니다

남들보다 대단한 것도 없습니다

그러니 견딜 수 없을 것 같은 이 아픔도

약한 독감 정도 아닐까요

나에게만 특별한 아픔이 주어질 리
없으니까요

슬픔 희석

슬픔이 옅어지길 바라며

이것저것 부어봤더니

맘껏 슬퍼하기에도 애매한 슬픔이

더욱 커진 채로 남아버렸다

기회

나를 뒤덮은 이 짙은 먹구름조차도

내겐 그저 하나의 기회가 될 것이다

내가 꾸는 꿈은 밤하늘 빛나는 별과 같아서

어둠 속에서는 더욱더 찾기 쉬울 테니

기대

차곡차곡 쌓인 실망들이

기대라는 감정을 덮어 보이지 않게 되었다

언젠가 실망의 무더기가 무너져 내리면

다시 누군가에게 기대를 할 수 있을까

꽃다발 같은 사랑을 드릴게요

세상에서 가장 크고 아름다운

장미 한 송이가 아닌

당신에게 가는 길 듬성듬성 피어있던

한 송이 한 송이 소중하게 엮은

이 이름 모를 꽃다발을 드릴게요

한 송이가 시들면
더 소중히 보살필 수 있는

그런 사랑을 당신께 드릴게요

이상한 책

책 한 권이 있다
장르도 가격도 정해지지 않은 이상한 책

시답지 않은 내용만 적힌 페이지
내용이 너무 많아 한 눈에 담기 힘들 만큼
많은 글자가 적힌 페이지
때론 아무것도 적히지 못한 페이지가
펼쳐지는 책

그리고 이 책은 매일 한 페이지씩 늘어난다
아마 영원히는 아니겠지만

만약 내가 이 책의 저자라면
적어도 빈 페이지는 없길 바라지 않았을까

옅은 비

이렇게 옅은 비는 눈으로 보기 힘들잖아

걸친 옷에 가려져 피부에 닿지도 않잖아

그래서 긴가민가 해버렸어
어느새 거리가 우산으로 채워질 때까지

우산을 살 기회도 있었고
집으로 되돌아갈 수도 있었는데

그래도 비는 맞기 싫다고
내가 있을 곳이 아닌 곳에서

이 비가 그치길 기다리고 있어

책을 마치며.

제가 쓴 글이 모여
책으로 태어나게 되어 참으로 신기합니다.
설레이는 감정을 다시금 느끼게 되어 좋네요.
이 책을 읽어주신 모든 분들께 감사하며
이만 마치겠습니다.
감사합니다.

류리 올림